SOC… DI D'ABEL ZEBUTTE

de Didier Dufresne
illustré par Robert Scouvart

13

C'était par une magnifique journée d'orage. Au 13, rue des Maléfices, les apprenties sorcières, les diablotins de tout poil et les gnomes écoutaient Mélissa Tanik, leur professeur de magie noire.

– Nous allons étudier aujourd'hui les vertus de l'urine de lézard et de la poudre de limaçon, annonça Mélissa. Nous commencerons par quelques travaux pratiques. Avez-vous apporté les ingrédients que je vous avais demandés ?

– Oui, grande maîtresse, répondirent les démoniaques élèves.

Ils étalèrent sur leurs tables fioles, pots, limaçons frétillants et lézards par centaines.

– Mettez-vous par deux et préparez-moi un philtre de laideur : trois mesures d'urine de lézard, une pincée de poudre de limaçon et, n'oubliez pas, la formule magique !

Elle copia au tableau la formule du jour : Télai-Témoch-Tépabo-Tévilin-Tuveumafoto. Gertrude et Abel étaient assis l'un près de l'autre. Depuis l'école « monsternelle », ils ne se quittaient plus. C'était le couple le plus original de toute la sorcellerie.

Ils commencèrent leur préparation, respectant bien les proportions. Gertrude alluma le gaz sous l'éprouvette. Le liquide vert se mit bientôt à bouillir, dégageant une agréable odeur de moisi.
– Ça y est, dit Abel, c'est prêt. Prononce la formule, ma laideur.

C'était la première fois qu'il l'appelait « ma laideur » devant toute la classe. Gertrude se sentit verdir jusqu'à la pointe des longs poils de ses oreilles. Elle était si troublée qu'elle se trompa de formule !

Les yeux fermés, elle récita : Téjoli-Tébo-Tésuperb-Talaklass-Tumeplai.

Abel s'empara du mélange et l'avala d'un trait. C'était l'usage dans le cours de Mélissa Tanik, on devait tester ses breuvages. Tous ses camarades en avaient fait autant et riaient de voir pousser leurs boutons ou tomber leurs dents. Abel, lui, ne ressentait rien.

– Crotte de loup ! C'est raté ! s'exclama-t-il.
Il n'eut pas le temps d'en dire plus : une âcre fumée jaunâtre l'enveloppa soudain.
Quand la fumée se dissipa, il ne restait plus aucune trace d'Abel Zébutte, diablotin débutant à l'école de la rue des Maléfices.

Depuis ce jour maudit, Gertrude n'avait pas revu Abel Zébutte…

Elle avait obtenu à grand-peine son brevet de sorcière. Cela ne lui avait d'ailleurs pas servi à grand-chose, on ne fait plus guère appel aux sorcières aujourd'hui. Toutes ses amies avaient quitté leurs forêts magiques, leurs montagnes enchantées ou leurs grottes maléfiques. Les unes après les autres, elles étaient parties s'installer à la ville. Elles étaient devenues caissières à Intermoute, serveuses à Mac-Miquet ou conduisaient des bus dans des banlieues lointaines…

Gertrude s'était sentie trop vieille pour quitter ses habitudes.
– La vie moderne n'est pas faite pour une vieille sorcière comme moi ! soupirait-elle sans cesse. Je m'ennuie comme un crapaud à un bal de grenouilles.

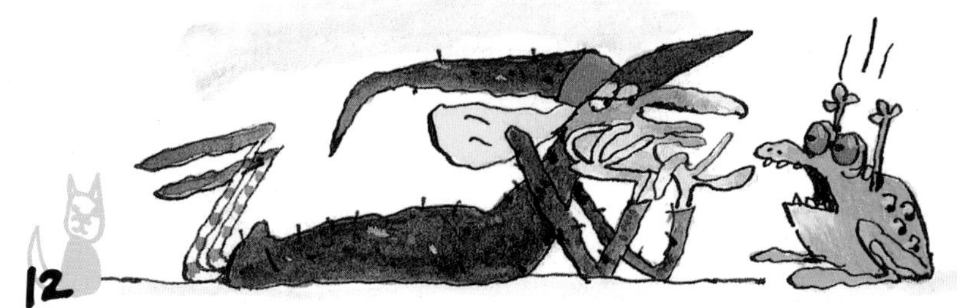

Les philtres d'amour, les porte-malheur, la tisane de chauve-souris, la pommade de peau de serpent… Tout cela était bien passé de mode.
« Je ne sais même pas si je serai encore capable de jeter un sort… », pensait souvent Gertrude. Quelle misère !
La vie avait changé. On avait abattu les arbres de la forêt des Cent-Chaudrons pour construire une autoroute. Le chemin devant la maison avait été goudronné.

La seule distraction de Gertrude était de regarder passer la camionnette jaune du facteur. Hélas, jamais elle ne s'arrêtait… Les toiles d'araignées avaient envahi la boîte aux lettres. Une jolie boîte pourtant, en forme de crâne.

Mais ce jour d'octobre, il se passa quelque chose dans la vie trop tranquille de Gertrude. Alors qu'elle rêvait qu'elle transformait un prince charmant en hibou, un cri aigu la réveilla.

– Ouitch !

Le facteur venait de déposer une lettre dans sa boîte. Les mâchoires de la boîte-crâne lui avaient aussitôt fortement pincé les doigts.

– Vieille folle ! criait-il maintenant en secouant sa main douloureuse.

Puis il haussa les épaules et s'éloigna en grommelant. La camionnette jaune démarra, laissant Gertrude seule et presque inquiète. Qui pouvait bien lui écrire ?

– Bah ! dit-elle. Le mieux est encore d'ouvrir la lettre !
Elle prit donc avec précaution l'enveloppe timbrée que la boîte serrait toujours entre ses dents.

Gertrude retournait la lettre en tous sens entre ses doigts crochus. L'enveloppe rose dégageait un doux parfum de violette. Gertrude fronça le nez.

– Pouah ! Beurk et beurk ! Quelle odeur épouvantable ! grogna-t-elle en décachetant l'enveloppe.

Elle en sortit une feuille, rose elle aussi, et se mit à lire à haute voix. Elle n'avait pas lu depuis… depuis son brevet de sorcière !

Elle déchiffrait péniblement, les yeux plissés, le nez sur la page…

Ma très chère amie,

Voisin de vous je suis,
et tout d'amour rempli...
Enfin en ce jour ose,
et par cette lettre rose,
mon cœur mettre à vos pieds,
tendre et belle adorée...
Je vous attends chez moi.
Ma mie, ne tardez pas !
Répondez, s'il vous plaît,
à mon amour secret...

Gertrude relut deux fois la lettre.

– Qu'est-ce que c'est que ce charabia ?

Elle finit par comprendre que c'était une lettre d'amour. L'amour ? C'était pour Gertrude un souvenir bien plus ancien que le brevet de sorcière. Oui, elle avait été amoureuse... Il y a si longtemps...

Gertrude retourna s'asseoir dans son vieux fauteuil. La lettre sur les genoux, elle poussa un long soupir :
– Ahhh ! Abel… Abel Zébutte…
C'est vrai qu'il était séduisant, Abel. Le regard tendre de ses yeux rouges, l'arrondi de sa bosse, son doux parfum de soufre… Toutes ces qualités faisaient d'Abel le plus envié des garçons de l'école. Ah ! Ils en avaient fait, des projets d'avenir. Ils auraient été heureux et auraient beaucoup de petits diables et diablesses.
Gertrude se reprocha une fois encore son erreur fatale. C'était à cause d'elle qu'Abel avait disparu. Elle ne se le pardonnerait jamais…

Gertrude se leva péniblement et fourra la lettre dans la poche de son tablier. C'était l'heure de dîner, et Gertrude entra dans sa cuisine. Une soupe au hérisson et aux orties mijotait sur le fourneau. Gertrude s'en servit une pleine assiette, qu'elle dégusta jusqu'à la dernière goutte.

– Par la barbe de Méphistophélès ! s'écria-t-elle. Rien de mieux qu'une bonne soupe à l'ortie pour redonner du piquant à la vie ! Oublions le passé, dit-elle. Ce n'est pas tous les jours qu'on m'écrit. Surtout une lettre d'amour ! Je manque d'exercice, et une petite visite à cet individu parfumé à la violette me distraira un peu.

Gertrude fouilla dans ses armoires, provoquant nuages de poussière et vols de mites.

– La voilà ! s'écria-t-elle enfin.

Elle tenait devant elle sa robe de sabbat, la noire, brodée de toiles d'araignées en fils d'argent. Jamais elle ne l'avait portée.

– Elle me va toujours aussi mal, murmura Gertrude en s'examinant dans la glace. Je suis d'une laideur ravissante.

Elle prépara son sac à main en peau de vipère, son vert à lèvres et un flacon de « Sent-mauvais » à l'œuf pourri.

– À nous deux, amoureux à la violette, ricana-t-elle en se mettant au lit. Demain, Gertrude Laverrue te rend visite !

Une minute plus tard, un tonnerre de ronflements monta de l'édredon en poil de rat. Gertrude dormait…

La chouette sonna à huit heures treize. Gertrude repoussa l'édredon et se dirigea vers son cabinet de toilette en se grattant les mollets. Elle se fit couler un bain d'eau croupie parfumé à la souris.

– Rien de tel pour vous donner un frais teint gris, dit Gertrude en se frottant le bedon.

Un bol de tisane de ronce plus tard, Gertrude enfourcha son vélo. On ne se déplace plus en balai de nos jours !

– Prince Béla Buzette, Château du Crosier, 99147 Cent-Chaudrons Cedex, ricana Gertrude en appuyant sur les pédales.

Je vais lui montrer, moi, que je ne suis pas celle qu'il croit.

Pendant ce temps, au château, Béla Buzette faisait les cent pas. À chaque instant, il regardait son visage dans les miroirs qui tapissaient les murs.

– Ça ne marchera jamais ! se lamentait-il en contemplant son visage fin, ses traits délicats et ses beaux cheveux bouclés. Je suis beau, horriblement beau, monstrueusement beau... Elle va bien se moquer de moi ! Elle ne m'embrassera pas, et ma vie sera à jamais un supplice...

Un grincement de freins annonça l'arrivée de Gertrude dans la cour du château.
– C'est ma dernière chance, murmura Béla. Et j'empeste la violette !
Il s'avança au-devant de la cyclo-sorcière. Elle se refaisait une laideur à grands coups de vert à lèvres.
« Je vais lui faire une grimace », pensa Béla. Ça devrait lui plaire.

Il voulut lui tirer la langue… et ne réussit qu'un superbe sourire. Il voulut prononcer quelques gros mots de bienvenue pour la mettre en confiance… et ne réussit qu'à dire :
– Très chère amie, votre arrivée me transporte de joie et met mon cœur à vos pieds.
Gertrude s'étrangla de rire.
– Et ta sœur, elle vend des violettes ? répondit-elle, toute fière de sa repartie.
Béla baissa la tête. L'affaire se présentait plutôt mal. Il fallait pourtant qu'elle l'embrasse, et ce avant le douzième coup de midi. Sinon…

Dans le salon d'honneur, les affaires de Béla Buzette tournaient mal. À chaque mot gentil, à chaque tentative de geste tendre, Gertrude répondait par des jeux de mots hideux, des bruits incongrus et des grimaces terrifiantes. Elle s'était même mise à danser en chantant à tue-tête :

– Pour moi tous les laids sont beaux !
TOULAILAI…
TOULAILAI…
Pour moi tous les beaux sont laids !
TOULAIBO…
TOULAIBO…

– Je ne me suis jamais autant amusée ! soupira Gertrude en s'effondrant dans un fauteuil de velours rouge. Mais au fait, où est-il donc passé, mon amoureux parfumé ? Gertrude se coula dans les couloirs, colimaçonna dans les escaliers, s'oublia dans les oubliettes, et le retrouva, enfin, dans la plus haute tour.

Le prince regarda Gertrude, il aurait voulu l'injurier pour lui faire plaisir, sentir mauvais pour lui plaire… Il ne parvint qu'à dire :

– *Adieu, ma douce amie.*
Je rêvais d'un baiser…
Mais jamais, je le sais,
vous ne m'en donnerez…

Le premier coup de midi sonna à la chapelle du château. Gertrude regarda Béla avec dégoût.

– Comment peut-on être si beau, c'est monstrueux ! Il mérite une bonne leçon…
Gertrude remit une couche de vert à lèvres, s'aspergea d'une rasade de « Sent-mauvais » et s'approcha du prince trop charmant.
– Ah ! Tu veux un baiser de sorcière !
Elle avança vers Béla, ses lèvres tendues en une affreuse grimace.
« Il n'y résistera pas, il va s'enfuir en courant, pensa Gertrude. Seul un diable supporte le baiser d'une sorcière… »
Quand les lèvres de Gertrude se posèrent sur la joue de Béla, le douzième coup de midi retentit.

Il y eut alors… une explosion… suivie d'un nuage de soufre !
Gertrude n'en revenait pas.

– Ma parole, se dit-elle flattée, je plais encore !
La fumée commença à se dissiper et elle entendit :
– C'est moi, ma laideur !
Cette voix ? Après si longtemps…
– Abel ? murmura-t-elle. C'est toi ?
– Plus laid et plus malodorant que jamais ! répondit Abel Zébutte en émergeant de la fumée… Crotte de loup ! J'ai cru que tu ne m'embrasserais jamais ! Si tu savais comme c'est terrible d'être beau et de sentir la violette !
Gertrude resplendissait de toute sa laideur. Elle avait retrouvé son bien-aimé. Il était laid, il sentait mauvais et disait des gros mots… Le mari idéal !

Loi 49.956 du 16.07.1949
Dépôt légal : 2e trimestre 1999
ISBN : 2-84113-848-8
Imprimé en France par Pollina n° 76927-F